D1032400

AUTOUR DE LA LUNE

30 contes pour mieux rêver

DONNÉES DE CATALOGAGE AVANT PUBLICATION
(CANADA)

Tibo, Gilles, 1951-
Autour de la lune, 30 contes pour mieux rêver
Pour enfants.

ISBN 2-89512-249-0

I. Titre.

PS8589.I26A97 2002 jC843'.54 C2001-941826-4
PS9589.I26A97 2002
PZ23.T52Au 2002

Éditrice : Dominique Payette
Directrice de collection : Lucie Papineau
Direction artistique et graphisme :
Primeau & Barey
Illustration de la couverture : Mireille Levert

Dépôts légaux : 3ᵉ trimestre 2002
Bibliothèque nationale du Québec
Bibliothèque nationale du Canada

DOMINIQUE ET COMPAGNIE
300, rue Arran
Saint-Lambert (Québec)
Canada J4R 1K5
Téléphone : (514) 875-0327
Télécopieur : (450) 672-5448
Courriel : dominiqueetcie@editionsheritage.com

Imprimé en Chine
10 9 8 7 6 5 4 3 2 1

Nous remercions le Conseil des Arts du Canada
de l'aide accordée à notre programme de publication, ainsi
que la SODEC et le ministère du Patrimoine canadien.

Gouvernement du Québec – Programme de crédit d'impôt
pour l'édition de livres – Gestion SODEC.

À tous ceux et celles
qui rêvent sous la lune...
G.T.

TEXTE : GILLES TIBO

ILLUSTRATIONS :
STÉPHANE JORISCH · MARIE LAFRANCE
MIREILLE LEVERT
LUC MELANSON · STÉPHANE POULIN

AUTOUR DE LA LUNE

30 contes pour mieux rêver

Dominique et compagnie

AU DÉBUT DU MONDE

Un soir, la lune,
qui voyageait de galaxie en galaxie,
fit une halte près de notre planète.

Elle s'endormit au-dessus d'un pays
d'où montaient
des milliers de chants mélodieux.

Depuis,
la lune ne rêve plus de voyages.
Elle survole lentement
les villes et les campagnes
en écoutant des berceuses chantées
dans toutes les langues de la terre.

LES SUCRERIES

On racontait aux enfants
que la lune était faite de lait, de fromage,
de meringue, de sucre, de crème glacée,
de chocolat blanc…

Un enfant
plus gourmand que les autres
monta sur des échasses et alla vérifier.

Il but tellement de lait,
mangea tellement de fromage,
de meringue, de sucre,
de crème glacée et de chocolat blanc
qu'il quintupla de volume.

Les échasses se brisèrent sous son poids.

Il revint chez lui, à pied,
et ne mangea plus jamais de sucreries.

L'ENFANT

Un enfant
assis sur la lune
écrivait des messages d'amour au soleil.

Mais jamais
le soleil ne put les lire.
Les avions de papier s'enflammaient
dès qu'ils s'en approchaient.

LES ÉCLATS

Un soir,
la lune tomba sur un trottoir
et se fracassa en millions d'éclats.

Les enfants quittèrent aussitôt leurs maisons.
Les plus rapides, les plus chanceux
ramenèrent un petit morceau de lune
et l'accrochèrent au-dessus de leur lit.

Voilà pourquoi certaines fenêtres
brillent chaque nuit
d'un éclat incomparable.

LE SAPIN

Il y a très longtemps,
un sapin de Noël poussa sur la lune.
Il devint gigantesque.

De la terre,
on pouvait l'admirer à l'œil nu.
Ses lumières coloraient les nuages
et les flocons de neige.

Et puis, au fil des nuits,
la lune commença à décliner
jusqu'à devenir un petit croissant
qui disparut dans le noir.

Des millions de cadeaux tombèrent alors
sur le sable des déserts,
sur la neige des pôles, et, bien sûr,
dans la bouche des cheminées.

L'HIVER

Cet hiver-là fut si froid
que la lune se mit à claquer des dents.

Un soir,
malgré les vents fous,
une centaine de femmes
gravirent la plus haute montagne.
Elles traversèrent silencieusement
de longs bancs de brume,
et recouvrirent la lune
de leurs manteaux de fourrure.

Depuis cette nuit-là,
la lune n'a plus jamais froid aux pieds.

LA FUSÉE DE BOIS

Une nuit,
la lune fatiguée de tourner en rond
s'envola dans une fusée de bois.
Elle visita, une à une, les étoiles de la voie lactée.

Mille ans plus tard,
la lune revint de voyage.
Elle abandonna sa fusée tout près de l'océan.

Des hommes en firent une barque.

Depuis lors,
ils voguent sur le dos de la mer
en suivant le reflet des étoiles filantes.

LE JEUNE CROISSANT

Un jeune croissant de lune
se glissa dans une maison
par une fenêtre ouverte.

Un coup de vent referma la fenêtre.

C'est ainsi qu'un enfant
put admirer
pendant toute une nuit
le croissant lumineux
flottant au-dessus de son lit.

Au petit matin,
l'enfant ouvrit la fenêtre
en disant au revoir à la lune.

Elle revint le visiter
chaque soir de sa vie.

DANS UN JARDIN

Un tout petit croissant de lune
glissa du ciel
et tomba dans un jardin.

Le fermier l'arrosa,
lui donna de l'engrais et l'entoura de soins.
Lorsqu'il trouva sa lune assez grosse
pour être vendue au marché,
il la souleva avec un levier
et la fit rouler jusqu'à son camion.

Par malheur, la porte du camion
s'ouvrit en haut d'une colline.
La lune roula jusqu'en bas,
prit son élan et remonta dans le ciel.

Jamais personne ne crut le fermier
lorsqu'il raconta
que la lune avait poussé dans son jardin.

LA LUNE DE MÉTAL

La lune de métal
était si tranchante qu'elle s'amusait
à tailler la queue
des étoiles filantes.

LA LUNE DE BOIS

La lune de bois
se décrocha du ciel,
flotta sur l'eau,
et servit de refuge
à de pauvres naufragés.

LA LUNE DE CAOUTCHOUC

La lune de caoutchouc
se laissa tomber sur la terre.
En rebondissant des milliers de fois
elle creusa des vallons et des lacs.
Puis elle retourna se reposer
dans le firmament.

LA LUNE DE VERRE

La lune de verre était si transparente
que personne ne la voyait.
Pour l'admirer,
il fallut la peindre en blanc.

LA LUNE DE PAPIER

Depuis toujours,
les poètes
rêvent d'écrire
de longs poèmes d'amour
sur la lune de papier.

LA LUNE DE GRANIT

Personne n'ose dormir
sous la lune de granit.
De temps à autre,
il en tombe des morceaux…

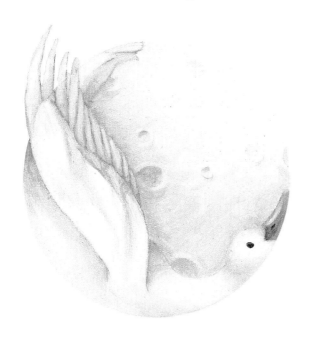

LA LUNE DE PLUMES

Après avoir servi d'escale
à des milliers d'outardes,
la lune,
couverte de plumes,
accompagna le grand cortège des oiseaux
vers le sud…

LA LUNE DE PLOMB

La lune de plomb ne réussit jamais
à quitter la terre.
Elle s'enfonça
si profondément dans le sol
que personne ne la retrouva.

UNE COLOMBE

Une colombe vola si haut
qu'elle se cogna la tête contre la lune.

Elle tomba dans la fontaine d'un village,
s'y abreuva longtemps,
s'y baigna longtemps,
puis s'envola
en laissant l'eau plus blanche que du lait.

Depuis,
les enfants qui boivent à cette fontaine
voient leurs mauvais rêves s'envoler.

LA VIEILLE LUNE

À une époque lointaine,
la lune tournait si près de la terre
qu'elle effleurait le dessus des montagnes
et la pointe des gratte-ciel.

Peu à peu, elle se couvrit d'égratignures
et commença à s'effriter.

Des orfèvres montèrent sur des échelles
avec leurs seaux remplis de lumière.
En chantant,
ils se mirent à repeindre la lune.
Ils l'astiquèrent, la firent reluire
et lui redonnèrent son apparence d'antan.

Depuis ce jour,
la lune tourne très loin de la terre
afin de ne plus frôler
le dessus des montagnes
et la pointe des gratte-ciel
qui s'élèvent toujours plus haut.

LE BOULANGER

Un boulanger, amoureux de la nuit,
avait confectionné des lunes aux amandes
et des croissants au miel.

Mais le pauvre homme
ne fit jamais fortune.
Aussitôt la pâte levée,
ses pâtisseries commençaient
à décroître…

Elles disparaissaient
avant même qu'un petit gourmand
ait le temps d'y goûter !

LE VIEUX SCULPTEUR

Au fond de son atelier,
le vieux sculpteur venait de terminer
le chef-d'œuvre de sa vie :
un disque d'une beauté parfaite,
taillé à même le marbre blanc.

Peinant et suant,
le vieillard fit rouler son disque
jusqu'au sommet d'une montagne.

Lorsque la lune se leva,
belle, ronde et lumineuse,
le vieux sculpteur, ébloui,
comprit qu'il ne pouvait défier
la beauté du monde.
Il abandonna son œuvre
sous la grande coupole des étoiles.

Depuis, chaque soir,
des enfants grimpent sur le disque de marbre
en rêvant qu'ils marchent sur la lune.

TROIS ENFANTS

Les hommes
bâtirent une ville gigantesque.

De la dernière fenêtre
de la plus haute tour,
on pouvait sauter sur la lune.

Trois enfants allèrent y jouer
avec leurs pelles et leurs seaux.

Un tremblement de terre
secoua la tour, qui s'effondra.
Pendant qu'on la reconstruisait,
les trois enfants grandirent,
devinrent des adultes,
puis des vieillards.

Un soir,
d'autres gamins sautèrent de la nouvelle tour
pour aller jouer sur la lune.
Ils y découvrirent trois vieux enfants
qui vivaient dans des châteaux de sable
et qui s'amusaient encore…
avec leurs pelles et leurs seaux.

LES BALLONS BLANCS

Les soirs sans lune,
des enfants de toutes les couleurs
rêvent qu'ils marchent, main dans la main,
sous de grands ballons blancs.

LE FUNAMBULE

Un funambule
avait tendu son fil
du coin d'un gratte-ciel
à la pointe de la lune.

Un soir, le fil se rompit.
Le funambule tomba sur une étoile filante.

Il travaille maintenant
dans une autre galaxie.

LE TABLEAU NOIR

Un soir,
le tableau noir
sur lequel on avait dessiné la lune
se lézarda et tomba sur la terre.
On chercha les morceaux
afin de les recoller.

Les étoiles ne sont que des trous laissés
par les morceaux perdus.

LE MÉDECIN

Un vieux médecin,
trouvant la lune très pâle,
lui prescrivit des médicaments
et de longues nuits de sommeil.

Depuis ce temps, chaque mois,
la lune disparaît
pour se reposer.

LES MILLE LUNES

Au crépuscule,
mille lunes apparurent au-dessus de la cité.
Elles brillaient tant et tant
que personne ne pouvait dormir.

Les présidents de tous les pays
se rencontrèrent
en réunion extraordinaire.
On envoya
neuf cent quatre-vingt-dix-neuf fusées
afin d'éliminer
les neuf cent quatre-vingt-dix-neuf
lunes de trop.

Il y eut une grave erreur d'aiguillage.
On s'aperçut, mais trop tard,
que la vraie lune avait été détruite.

Celle que l'on voit aujourd'hui
est une imitation.

LA LUNE ASSOIFFÉE

Il arrive parfois
que la lune assoiffée
ouvre la bouche et avale
une immense quantité d'eau.

Voilà le secret
de l'origine des marées.

LES CHEVEUX DE LUMIÈRE

Un vieux sage se réfugia sur la lune.
Il y médita toute sa vie.
Ses cheveux
poussèrent tant et tant
qu'ils s'envolèrent
au gré du vent céleste.
Illuminés par les reflets du soleil,
ils devinrent des aurores boréales.

LA BERCEUSE

Chaque soir
la lune s'endort en rêvant
que des millions d'enfants
devenus des hommes et des femmes
ouvrent tout grand leur cœur
pour chanter la paix
dans toutes les langues de la terre.